EVLER

HOUSES

İlk basım
First published
2003, İstanbul

Yayın Yönetmeni
Editor
Şakir Eczacıbaşı

Kurgu ve tasarım
Editing and design
Bülent Erkmen

Sayfa düzeni ve baskı öncesi hazırlık
Pre-press
Bilge Barhana, BEK

Renk ayrımı, baskı ve cilt
Colour separation, printing and binding
Aksoy Matbaacılık
İstanbul, 2003

ISBN 975-95037-5-1

EVLER

HOUSES

Eczacıbaşı

EVLERİN SURETİ

Evler de insanoğlu gibi geveze midir? Ya da evlerin de dili var mıdır kendini anlattığı? Peki, evlerin şiiri, öyküsü, romanı ve resmini varsayarak yola, yollara koyulsak, gezginci yüreğimiz mutlu olur mu bu yolculuktan?

Sokaklarda, meydanlarda, iç avlularda, odalarda, salonlarda, balkonlarda, damlarda çocuk gibi dolaştırılmaktan öylesine mutlu olur ki yüreğimiz.

O "varsayalım" dediğimiz öykü, roman, resim ve şiirin yanına; saydıklarımızla yetinmeyip bir de evlerin sesini, müziğini ekleyiverir.

Sorumuzu biz yanıtlayalım: Evler gevezedir. Üstelik öylesine bir karış dili vardır ki siz çekip gitseniz de yanından, o kendi kendine konuşur. Biraz hüzün, biraz coşku ve neşe, biraz kavga ve barıştır evler.

Kuşkusuz evlerin dili; şiir, öykü, resim, roman ve müziğin besin kaynağıdır. Belki de evler, yaşamı kucaklayan bir tiyatro dekorudur.

Dört duvar deyip geçmeyin; dört duvar ve bir kapıyı insanoğlu kondurur kondurmaz, evlerin gizemi başlar. Hani, çatısı olmasa da gökyüzü yeter onlara. İlle de içinin, odalarının dolu olması da gerekmez. Boş bir ev bile kendini anlatır; yalnızlığını, korkularını...

GÜROL SÖZEN

REFLECTIONS OF HOUSES

Are houses as talkative as people? Do houses have a language of their own in which they express themselves? If we assumed that houses have their own poetry, their own stories and novels and even pictures, would our wandering hearts enjoy the journey?

Being led like children around the streets and squares, courtyards and salons, and onto the balconies and the flat roofs would delight our hearts. And, not content with these stories and novels, poems and pictures, we may even imagine that houses make sounds and music.

Let's answer our own question: Houses love to chatter. And they have such power of speech that, even if you leave them, they will go on chattering away to themselves. A little melancholy, a little excitement, a little joy and, sometimes a quarrel followed by reconciliation, that's the way houses talk. They are the source and sustenance for poetry, stories, pictures, novels and music. Perhaps houses are even the stage set, embracing life itself.

Don't belittle four walls: Four walls and a door are enough for a house's secret life to begin. There doesn't have to be a roof; the sky is good enough. The rooms don't even have to be occupied. A desolate house will chatter away, talking of its loneliness and its fears.

Sanırım, evlerin en önemli konuğu, usta şair Behçet Necatigil. Şiirlerinde onlara, penceresini hep açık tutmuştur:

"Şiirlere bir insan evlerden bir şey katmadan
Nasıl girer, şaşıyorum."

Evler sığınağımız, uykumuz, sayrılarımız, düşlerimiz ve gizemli oyuncağımız. Çocukları bir yana bırakalım, evi ile oynamayan bir tek büyük gösterin bakalım! Bu arada, kırlangıçları da gerekçe olarak karşımıza çıkarmayın sakın! Onlar, yeryüzünün en büyük ustaları. Kimse yarışamaz onların doğayla bütünleşmesindeki becerisi ve naif seçimine. Öncelikle, sevdalandığı doğaya saygılıdır: Çamur ve çerçöpten başkasını kullanmaz evini yaratırken. Yeşeren hiçbir dalı koparmadığı gibi olur olmaz yeri de mesken edinmez. Kurumuş dallar ve saman yeterlidir onun için. Kendine bu konuda güveni sonsuzdur. Binlerce yıldan beri kendi evinin yapımını kimseye bırakmamıştır.

Taştan, topraktan, odundan, betondan evler yapan insanoğlunun düşü ise, varlık ve yoksulluk arasında gezinir.

Varlık ve yokluk, evlerin suretlerine, yani görünüşlerine, yüzlerine yansır. Ne var ki kerpiçten evler yapanlar, Çatalhöyük'ten beri atalarından kalan mirası da unutmamışlardır: Evlerin damındaki hayat, evin içi ve dışını bezemek, vazgeçemedikleri tutkudur: Kimi ayyıldız kondurur kapısının üstüne. Kimileri çiçeklerle donatır duvarları. Taş ustaları da boş durmayıp Ürgüp, Midyat, Kayseri, Urfa, Diyarbakır ve sayısız kentlerdeki evler için, hayat ağaçları, çiçekler, madalyonlar, insan figürleri ve soyutlanmış bitkileri yontarlar.

Safranbolu, İstanbul, İzmir, Bursa ve Birgi'nin ustaları daha nazenindir; kendilerini boyaya, kalem işine vermişlerdir; "şeherli" olduklarından mıdır, kimbilir? Laleler, sümbüller, tavuskuşları, bayraklar, saksıda çiçekler ve neresi olduğu belli olmayan kentleri resmetmişlerdir. Ahşap ustası ile kalemkâr'ın uzlaştığı

I believe the poet Behçet Necatigil is the most important witness of the houses' conversations. He always kept the window of his poems ajar for houses:

'It's hard to comprehend how anyone can enter a poem
without adding something from houses.'

Houses are our refuge, our sleep, our illnesses, our dreams and our secret playthings. Just show me a single child or adult who doesn't play with his or her house! Incidentally, don't bring up the swallows as a reason for this. They are the greatest masters. No one can compete with their skill in harmonising their constructions with nature and with their simple choices. In particular, they show love and respect for nature by building their houses from the mud and straw that others disregard. They make their houses in the most appropriate places without breaking a single green twig. Dried twigs and straw are quite sufficient. They have infinite confidence in themselves. For thousands of years, they have never entrusted anyone else with the construction of their houses.

The dreams of those who build their houses of stone, mud, wood or concrete have always swung between wealth and poverty.

Wealth and poverty are reflected in the appearances of houses. Those who build their houses of mud brick remember the legacy of their ancestors from Çatalhöyük. Life on the flat roofs and the interior and exterior decoration form an abiding passion. Some put a crescent and star on the door, others adorn the walls with flowers, while stonemasons in Ürgüp, Midyat, Kayseri, Urfa, Diyarbakır and countless other cities never tire of covering the walls with carvings of flowers, medallions, trees of life, human figures and stylised plants.

The more sophisticated artists in Safranbolu, Istanbul, Izmir, Bursa and Birgi engage in fine brushwork. Is this because they are city-types, I wonder? They produce images of tulips, hyacinths, peacocks, flags, tek görkemli alan, konuk odasının tavanıdır: Geometrik geçmelerin çevresini fırdolayan kalem işinden palmetler, rozet çiçekleri hiç kavga etmez birbiri ile... Bazıları da Roma ve Hellenistik Çağ heykellerine özenip yarı çıplak ya da bol dökümlü giysiler içinde, öyküsü hiç eksik olmayan kompozisyonları yeğlemişlerdir. Boyacının, taş yontucusunun ve keser ustasının işine karışılmaz. Tabii ki ev sahibesinin de büyük payı vardır bu hamurda!

Her yaşam biçimi, ahşap ustalarının keseri gibi kendi bezemesini yontar ve yaratır; ister kerpiç, isterse taş ya da kâgir ev olsun. Her evin birbirinden farklı bronzdan dökülmüş kapı tokmakları bile bu seçimin ilk karşılayıcısıdır.

Bir de pencerelerde oturan yaşlılar, çocuklar, kediler, saksılar: Sanki yalnızlık, hüzün ve sevincin sesi. Sanki, sessiz sesleri ya da...

Bu gevezeliği bize yaptıran evler ama dondurulmuş karelerin asıl sahipleri kim ya da kimler mi? Önünüze konan yüzlerce fotoğraf karesinin her birinin sahibi var.

Her evin, sokağın, kapının, pencerenin asıl izleyicisi ya da en yakın tanığı onlar; fotoğraf sanatçıları. Yaşamın bir anlık kayda geçirilmesini onlara borçluyuz.

Evin, evlerin yalnızlıkları da sevinçleri de onlara ait.

Son söz Necatigil'in:

"Dünyada mutluluk adına ne varsa başkaca
Evcek, evlerde yaşar yaşarsa!"

flowers in pots and of utopian cities. The one splendid area where the wood carver and the artist collaborate is the ceiling of the guest chamber, on which we see the harmonious combination of geometrical dovetailing and painted palmettes and rosettes. Sometimes they hark back to the statues of Roman and Hellenistic times, producing compositions based on tales of long ago with figures half naked or clothed in full, flowing robes. One should never interfere with the work of the painter, sculptor and carver. And, of course, the lady of the house has an important role in shaping the whole.

Each life-style carves and creates its own particular decoration, just like the distinct chiselling of each wood carver, whether the house is of mud brick or masonry. Every house is quite unique. Even the unique design of the bronze doorknocker of a particular house greets us with a hint of what lies beyond...

And then there are the children, old people, cats and flowerpots in the windows as if they are the silent voices of loneliness, melancholy and joy.

But who are the real owners of the freeze frames of the houses that make us chatter? Every single one of the photo frames you will discover in front of you has its own particular owner.

The real observers of each house, each street and each window, those that are most intimately familiar with them all are the photo artists. It is to them that we owe the recording of a single fleeting moment. It is to them, too, that the houses owe their joys and sorrows.

The last word belongs to Necatigil:

'Whatever exists in this world in the name of happiness,
comes to life in families, in houses...'

Nevzat Çakır,
Tarabya,
İstanbul

İbrahim Zaman, Uçhisar Cappadocia, Nevşehir

İbrahim
Zaman,
Safranbolu,
Karabük

İbrahim Zaman, İkizdere, Rize

M. Erem
Çalıkoğlu,
Göreme
Cappadocia,
Nevşehir

İbrahim
Zaman,
Mustafapaşa
Cappadocia,
Nevşehir

Mustafa
Yılmaz,
Mudanya,
Bursa

Nusret
Nurdan Eren,
Datça,
Muğla

Sıtkı Fırat,
Şanlıurfa

Nusret Nurdan Eren,
Çakırağa Konağı
Çakırağa Residence,
Birgi, Ödemiş,
İzmir

İzzet Keribar,
Sivrihisar,
Eskişehir

İbrahim
Zaman,
Yeniköy,
İstanbul

İzzet Keribar, Hekimbaşı Salih Efendi Yalısı
Hekimbaşı Salih Efendi's Yalı,
Anadoluhisarı, İstanbul

Yusuf Tuvi,
Midyat,
Mardin

Barbaros Gürsel,
Beypazarı,
Ankara

Yusuf Tuvi,
Ethem
Pertev Yalısı
Ethem
Pertev's Yalı,
Kanlıca,
İstanbul

Şemsi Güner,
Anadoluhisarı,
İstanbul

Nevzat Çakır,
Arnavutköy,
İstanbul

Ara Güler,
Anadoluhisarı,
İstanbul

İbrahim Zaman, Bodrum, Muğla

Selim Güneş,
Edirne

Şakir Eczacıbaşı,
Sadullah Paşa Yalısı
Sadullah Paşa's Yalı,
Çengelköy, İstanbul

İzzet Keribar, Cumalıkızık, Bursa

İzzet Keribar, Çakırağa Konağı
Çakırağa Residence, Birgi, Ödemiş, İzmir

İsa Çelik,
Çakırağa Konağı
Çakırağa Residence,
Birgi, Ödemiş,
İzmir

Yusuf Tuvi,
Amasya

Şakir
Eczacıbaşı,
Bursa

Şakir Eczacıbaşı,
Bursa

Şakir
Eczacıbaşı,
Bursa

A. Halim
Kulaksız,
Amasya

Ara Güler,
Zeyrek,
İstanbul

Şakir
Eczacıbaşı,
Safranbolu,
Karabük

Şakir
Eczacıbaşı,
Kocaeli

İzzet Keribar,
Taraklı,
Sakarya

İzzet Keribar,
Cihangir,
İstanbul

İbrahim
Zaman,
Malta,
İstanbul

İsa Çelik,
İznik, Bursa

Şakir
Eczacıbaşı,
Karşıyaka,
İzmir

Faruk Ertunç,
Hayriye,
Yalova

Şemsi Güner,
İstanbul

Şemsi Güner,
Manisa

A. Muhsin
Divan,
İskilip, Çorum

Selim Aytaç,
Birecik,
Şanlıurfa

Şakir
Eczacıbaşı,
Kıbrıscık,
Bolu

Nevzat Çakır,
Gerede,
Bolu

Şakir
Eczacıbaşı,
Mudanya,
Bursa

Şakir
Eczacıbaşı,
Kandilli,
İstanbul

İsa Çelik,
Uçhisar
Cappadocia,
Nevşehir

İzzet Keribar,
Bursa

İbrahim
Zaman,
Şanlıurfa

İzzet Keribar,
Kula, Manisa

Şakir
Eczacıbaşı,
Mürefte,
Tekirdağ

Aykut İnce,
Çamlıhemşin,
Rize

Yusuf Tuvi,
Manisa

Yusuf Tuvi,
Kula, Manisa

Tufan Kartal,
Ürgüp
Cappadocia,
Nevşehir

İbrahim
Zaman,
Rize

Nevzat Çakır,
Gayrettepe,
İstanbul

24

Ara Güler,
Kaş, Antalya

Mustafa Yılmaz, Mudanya, Bursa

Nusret
Nurdan Eren,
Ürgüp
Cappadocia,
Nevşehir

Nusret
Nurdan Eren,
Ürgüp
Cappadocia,
Nevşehir

Nusret Nurdan Eren, Ürgüp
Cappadocia,
Nevşehir

29

4

57
49

Mustafa Yılmaz, Safranbolu, Karabük

Nusret
Nurdan Eren,
Duvar süslemeleri
Mural decorations,
Gümüşkent
Cappadocia,
Nevşehir

Nusret
Nurdan Eren,
Duvar süslemeleri
Mural decorations,
Ürgüp
Cappadocia,
Nevşehir

Şemsi Güner,
İstanbul

Aykut İnce,
Küre,
Kastamonu

Yusuf Tuvi,
Kula, Manisa

Şakir
Eczacıbaşı,
Safranbolu,
Karabük

Şakir
Eczacıbaşı,
Tepebaşı,
İstanbul

İbrahim
Zaman,
Taraklı,
Sakarya

Aykut İnce,
Küre,
Kastamonu

Şemsi Güner,
Kastamonu

İzzet Keribar,
Şirince, Aydın

Füsun Ertuğ,
Hasankeyf,
Batman

Erdal Yazıcı,
Bursa

Şakir
Eczacıbaşı,
Safranbolu,
Karabük

Şemsi Güner,
Kırşehir

Şakir
Eczacıbaşı,
Mudanya,
Bursa

İbrahim
Zaman,
Taşköprü,
Kastamonu

Canan
Atatekin,
Safranbolu,
Karabük

Engin Kaban,
Van

Ara Güler,
Şanlıurfa

Nusret Nurdan Eren, Çakırağa Konağı
Çakırağa Residence, **Birgi, Ödemiş, İzmir**

Nusret Nurdan Eren, Şemaki Evi
Şemaki Residence, Yenişehir, Bursa

S. Haluk
Uygur,
Akseki,
Antalya

Hasan Yelken,
Harran,
Şanlıurfa

Nevzat Çakır,
Elmadağ,
İstanbul

Lütfü Özgünaydın, Mudanya, Bursa

Şemsi Güner,
Dalyan,
Köyceğiz,
Muğla

Şemsi Güner,
Kayaköy,
Fethiye,
Muğla

Cengiz Akduman, Bodrum, Muğla

İzzet Keribar,
İskilip, Çorum

A. Halim
Kulaksız,
İstanbul

İbrahim
Zaman,
Ortahisar
Cappadocia,
Nevşehir

İzzet Keribar,
Boğaziçi
Bosphorus,
İstanbul

Sıtkı Fırat,
Safranbolu,
Karabük

Barbaros Gürsel, Beypazarı, Ankara

Ali İhsan
Gökçen,
Mardin

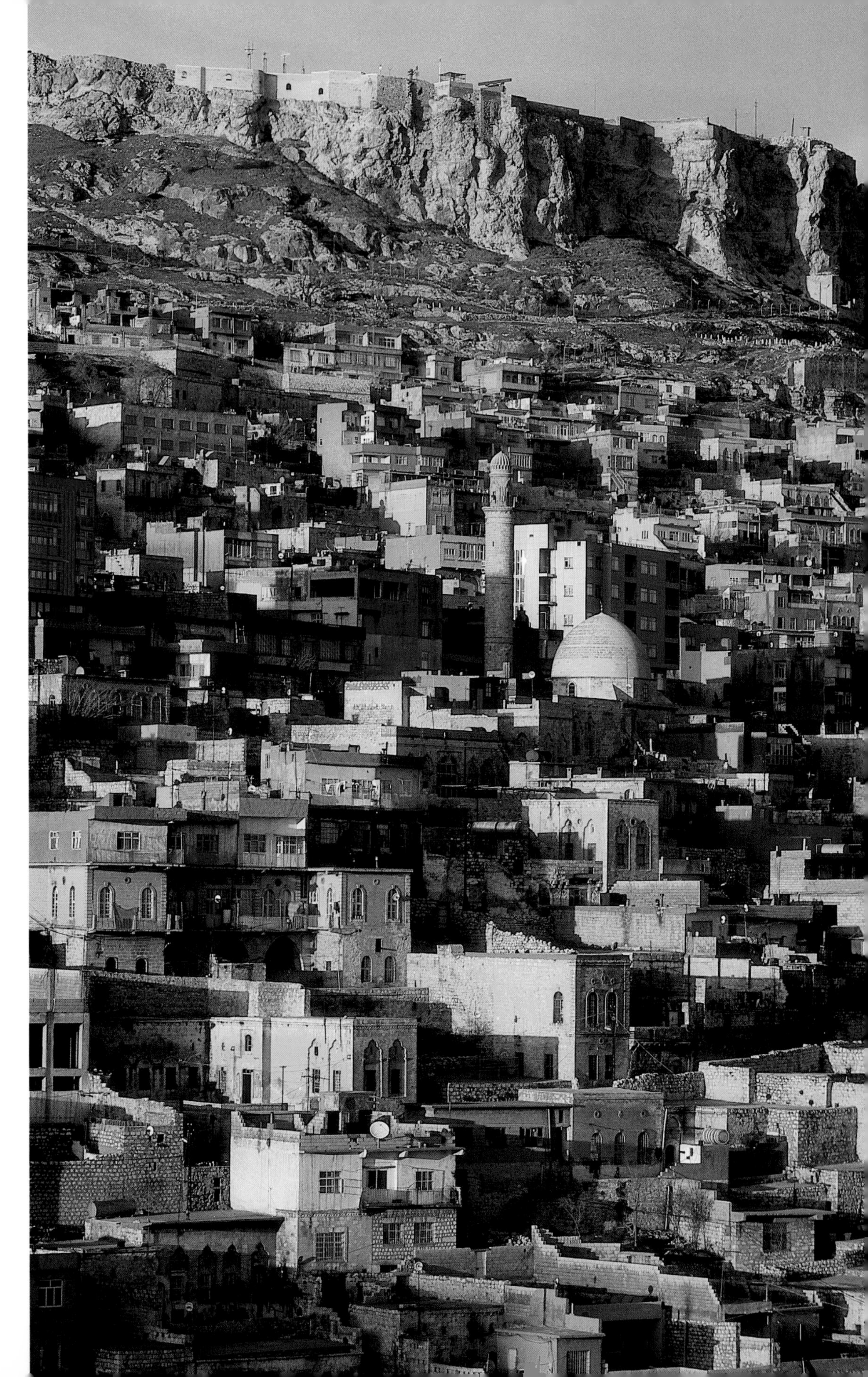

İbrahim
Zaman,
Bodrum,
Muğla

İbrahim Zaman, Ortahisar
Cappadocia, Nevşehir

İbrahim
Zaman,
Bodrum,
Muğla

Yusuf Tuvi,
İstanbul

Nevzat Çakır,
Galata,
İstanbul

Nevzat Çakır,
Edirnekapı,
İstanbul

Şakir Eczacıbaşı,
Erzurum

Ara Güler,
Levent,
İstanbul

Nusret
Nurdan Eren,
Avcılar
Cappadocia,
Nevşehir

Yusuf Tuvi,
İskilip, Çorum

İzzet Keribar,
Harran,
Şanlıurfa

Nevzat Çakır,
Fener,
Balat,
İstanbul

Ara Güler,
İkitelli,
İstanbul

Ara Güler,
Manyas,
Balıkesir

İsa Çelik,
İznik, Bursa

Nusret
Nurdan Eren,
Şavşat, Artvin

İbrahim
Zaman,
Fethiye, Muğla

Ahmet Kuzik,
Bodrum,
Muğla

Nusret Nurdan Eren, Ürgüp
Cappadocia,
Nevşehir

Nusret
Nurdan Eren,
Ürgüp
Cappadocia,
Nevşehir

Nusret Nurdan Eren, Ürgüp
Cappadocia,
Nevşehir

Nusret
Nurdan Eren,
Ürgüp
Cappadocia,
Nevşehir

Nusret Nurdan Eren, Ürgüp
Cappadocia, Nevşehir

Selim Güneş, Edirne

Engin Kaban,
Cumalıkızık,
Bursa

Selim Güneş,
Yedikule,
İstanbul

İzzet Keribar,
Kütahya

İbrahim Ayşıl,
Çürüksulu Yalısı
Çürüksulu's Yalı
Salacak,
İstanbul

İzzet Keribar,
Tophane,
Bursa

İbrahim
Zaman,
Bolvadin,
Afyon

138

A. Halim Kulaksız, Safranbolu, Karabük

İzzet Keribar,
Afyon

Şakir Eczacıbaşı,
İznik, Bursa

Şakir Eczacıbaşı, Kasımpaşa, İstanbul

Nevzat
Çakır,
Kula, Manisa

İzzet
Keribar,
Kula, Manisa

Şemsi Güner,
Cumalıkızık,
Bursa

Şakir Eczacıbaşı,
Kütahya

Şakir
Eczacıbaşı,
Bebek,
İstanbul

Yusuf Tuvi,
Bodrum,
Muğla

İzzet Keribar,
Memiş Ağa Konağı
Memiş Ağa Residence,
Sürmene, Trabzon

Nevzat Çakır,
Edip Efendi Yalısı
Edip Efendi's Yalı,
Kandilli, İstanbul

Şakir Eczacıbaşı,
Vecihi Paşa Yalısı
Vecihi Paşa's Yalı,
Kandilli, İstanbul

Sina Coşkun,
Taşkale,
Karaman

Sıtkı Fırat,
Kütahya

Nevzat Çakır,
Göreme
Cappadocia,
Nevşehir

İzzet Keribar,
Afyon

Şemsi Güner,
Ankara

Şakir
Eczacıbaşı,
Kasımpaşa,
İstanbul

13
13

Ara Güler,
Bursa

Nevzat Çakır,
Balat,
İstanbul

İbrahim Zaman, Kalkan, Antalya

Nusret Nurdan Eren, Ürgüp
Cappadocia,
Nevşehir

Nevzat Çakır,
Manisa

Nevzat Çakır,
Heybeliada,
İstanbul

Şakir Eczacıbaşı, Bursa

Mehmet Aslan
Güven,
Trabzon

Turgay Kaytancı, Beypazarı, Ankara

İzzet Keribar,
Kastamonu

İzzet Keribar,
Afyon

Tufan Kartal,
Birgi, Ödemiş,
İzmir

Tufan Kartal,
Safranbolu,
Karabük

İzzet Keribar,
Afyon

Ara Güler,
Kumkapı,
İstanbul

İzzet Keribar,
Azaryan Köşkü
Azaryan Residence,
Sadberk Hanım Müzesi
Sadberk Hanım Museum,
Büyükdere, İstanbul

Şakir Eczacıbaşı Karşıyaka, İzmir

Yusuf Tuvi,
Kula, Manisa

Murat Sav,
Sultanahmet,
İstanbul

Şemsi Güner,
Sinop

İbrahim Zaman,
Çamlıhemşin,
Rize

Sıtkı Fırat,
Kemaliye,
Erzincan

İbrahim
Zaman,
Safranbolu,
Karabük

İbrahim
Zaman,
Gümüşhane

Nusret Nurdan
Eren,
Aksaray

Engin Ertan,
Küçükbakkalköy,
İstanbul

İbrahim
Zaman,
Ayvalık,
Balıkesir

Nusret
Nurdan Eren,
Gerede, Bolu

Şakir Eczacıbaşı,
Bostancıbaşı Yalısı
Bostancıbaşı's Yalı,
Çengelköy, İstanbul

Ahmet Kuzik
Köprülü Yalısı
Köprülü's Yalı,
Anadoluhisarı,
İstanbul

İsa Çelik,
İshak Paşa
Camisi
İshak Paşa
Mosque,
Doğubeyazıt,
Ağrı

Tufan Kartal,
Alanya Kalesi
Alanya Castle,
Alanya,
Antalya

Aykut İnce,
Küre,
Kastamonu

Şakir Eczacıbaşı, Bebek, İstanbul

Nevzat Çakır,
Büyükçekmece,
İstanbul

Cengiz Akduman, Zigana, Trabzon

Şakir Eczacıbaşı, Haznedaroğlu Konağı
Haznedaroğlu Residence,
Bolaman, Ordu

Engin Kaban,
Harran,
Şanlıurfa

A. Halim
Kulaksız,
Uçhisar
Cappadocia,
Nevşehir

Nevzat Çakır,
Muğla

Ahmet Kuzik,
İstanbul

A. Halim
Kulaksız,
Amasya

FOTOĞRAF LİSTESİ
LIST OF PHOTOGRAPHS

1
Nevzat Çakır,
Tarabya, İstanbul

2
İbrahim Zaman,
Uçhisar Cappadocia,
Nevşehir

3
İbrahim Zaman,
Safranbolu, Karabük

4-5
İbrahim Zaman,
İkizdere, Rize

6
M. Erem Çalıkoğlu,
Göreme Cappadocia,
Nevşehir

7
İbrahim Zaman,
Mustafapaşa
Cappadocia, Nevşehir

8
Mustafa Yılmaz,
Mudanya, Bursa

9
Nusret Nurdan Eren,
Datça, Muğla

10
Sıtkı Fırat,
Şanlıurfa

11
Nusret Nurdan Eren,
Çakırağa Konağı
Çakırağa Residence,
Birgi, Ödemiş,
İzmir

12
İzzet Keribar,
Sivrihisar, Eskişehir

13
İbrahim Zaman,
Yeniköy, İstanbul

14
İzzet Keribar,
Hekimbaşı Salih Efendi Yalısı
Hekimbaşı Salih Efendi's Yalı,
Anadoluhisarı, İstanbul

15
Yusuf Tuvi,
Midyat, Mardin

16
Barbaros Gürsel,
Beypazarı, Ankara

17
Yusuf Tuvi,
Ethem Pertev Yalısı
Ethem Pertev's Yalı,
Kanlıca, İstanbul

18
Şemsi Güner,
Anadoluhisarı, İstanbul

19
Nevzat Çakır,
Arnavutköy, İstanbul

20-21
Ara Güler,
Anadoluhisarı, İstanbul

22
İbrahim Zaman,
Bodrum, Muğla

23
Selim Güneş,
Edirne

24
Şakir Eczacıbaşı,
Sadullah Paşa Yalısı
Sadullah Paşa's Yalı,
Çengelköy, İstanbul

25
İzzet Keribar,
Cumalıkızık, Bursa

26
İzzet Keribar,
Çakırağa Konağı
Çakırağa Residence,
Birgi, Ödemiş,
İzmir

27
İsa Çelik,
Çakırağa Konağı
Çakırağa Residence,
Birgi, Ödemiş,
İzmir

28
Yusuf Tuvi,
Amasya

29
Şakir Eczacıbaşı,
Bursa

30
Şakir Eczacıbaşı,
Bursa

31
Şakir Eczacıbaşı,
Bursa

32
A. Halim Kulaksız,
Amasya

33
Ara Güler,
Zeyrek, İstanbul

34-35
Şakir Eczacıbaşı,
Safranbolu, Karabük

36
Şakir Eczacıbaşı,
Kocaeli

37
İzzet Keribar,
Taraklı, Sakarya

38
İzzet Keribar,
Cihangir, İstanbul

39
İbrahim Zaman,
Malta, İstanbul

40
İsa Çelik,
İznik, Bursa

41
Şakir Eczacıbaşı,
Karşıyaka, İzmir

42-43
Faruk Ertunç,
Hayriye, Yalova

44
Şemsi Güner,
İstanbul

45
Şemsi Güner,
Manisa

46
A. Muhsin Divan,
İskilip, Çorum

47
Selim Aytaç,
Birecik, Şanlıurfa

48
Şakir Eczacıbaşı,
Kıbrıscık, Bolu

49
Nevzat Çakır,
Gerede, Bolu

50
Şakir Eczacıbaşı,
Mudanya, Bursa

51
Şakir Eczacıbaşı,
Kandilli, İstanbul

52
İsa Çelik,
Uçhisar Cappadocia,
Nevşehir

53
Şakir Eczacıbaşı,
Büyükada, İstanbul

54
İzzet Keribar,
Ayvalık, Balıkesir

55
Özer Öner,
Edirne

56
Şakir Eczacıbaşı,
Karaman, Konya

57
İzzet Keribar,
Bursa

58
İbrahim Zaman,
Şanlıurfa

59
İzzet Keribar,
Kula, Manisa

60
Şakir Eczacıbaşı,
Mürefte, Tekirdağ

61
Aykut İnce,
Çamlıhemşin, Rize

62
Yusuf Tuvi,
Manisa

63
Yusuf Tuvi,
Kula, Manisa

64
Tufan Kartal,
Ürgüp Cappadocia,
Nevşehir

65
İbrahim Zaman,
Rize

66
Nevzat Çakır,
Gayrettepe, İstanbul

67
Nevzat Çakır,
Alaçatı, İzmir

68-69
Şakir Eczacıbaşı,
Eşrefpaşa, İzmir

70
Ara Güler,
Kaş, Antalya

71
Mustafa Yılmaz,
Mudanya, Bursa

72
Nusret Nurdan Eren,
Ürgüp Cappadocia,
Nevşehir

73
Nusret Nurdan Eren,
Ürgüp Cappadocia,
Nevşehir

74-75
Nusret Nurdan Eren,
Ürgüp Cappadocia,
Nevşehir

76
Mustafa Yılmaz,
Safranbolu, Karabük

77
Nusret Nurdan Eren,
Duvar süslemeleri
Mural decorations,
Gümüşkent Cappadocia,
Nevşehir

78-79
Nusret Nurdan Eren,
Duvar süslemeleri
Mural decorations,
Ürgüp Cappadocia,
Nevşehir

80
Şemsi Güner,
İstanbul

81
Aykut İnce,
Küre, Kastamonu

82
Yusuf Tuvi,
Kula, Manisa

83
Şakir Eczacıbaşı,
Safranbolu, Karabük

84-85
Şakir Eczacıbaşı,
Ordu

86
İsa Çelik,
Cihangir, İstanbul

87
Şakir Eczacıbaşı,
Tepebaşı, İstanbul

88
İbrahim Zaman,
Taraklı, Sakarya

89
Aykut İnce,
Küre, Kastamonu

90
Şemsi Güner,
Kastamonu

91
İzzet Keribar,
Şirince, Aydın

92
Füsun Ertuğ,
Hasankeyf, Batman

93
Erdal Yazıcı,
Bursa

94
Şakir Eczacıbaşı,
Safranbolu, Karabük

95
Şemsi Güner,
Kırşehir

96
Şakir Eczacıbaşı,
Mudanya, Bursa

97
İbrahim Zaman,
Taşköprü, Kastamonu

98
Canan Atatekin,
Safranbolu, Karabük

99
Ömer Yağlıdere,
Safranbolu, Karabük

100-101
Ara Güler,
Milas, Muğla

102
Engin Kaban,
Van

103
Ara Güler,
Şanlıurfa

104
Nusret Nurdan Eren,
Çakırağa Konağı
Çakırağa Residence,
Birgi, Ödemiş,
İzmir

105
Nusret Nurdan Eren,
Şemaki Evi
Şemaki Residence,
Yenişehir, Bursa

106
S. Haluk Uygur,
Akseki, Antalya

107
Hasan Yelken,
Harran, Şanlıurfa

108
Nevzat Çakır,
Elmadağ, İstanbul

109
Lütfü Özgünaydın,
Mudanya, Bursa

110
Şemsi Güner,
Dalyan, Köyceğiz, Muğla

111
Şemsi Güner,
Kayaköy, Fethiye, Muğla

112
Cengiz Akduman,
Bodrum, Muğla

113
İzzet Keribar,
İskilip, Çorum

114
A. Halim Kulaksız,
İstanbul

115
İbrahim Zaman,
Ortahisar Cappadocia,
Nevşehir

116
İzzet Keribar,
Boğaziçi Bosphorus,
İstanbul

117
Sıtkı Fırat,
Safranbolu, Karabük

118-119
Barbaros Gürsel,
Beypazarı, Ankara

120
Ali İhsan Gökçen,
Mardin

121
İbrahim Zaman,
Bodrum, Muğla

122
İbrahim Zaman,
Ortahisar Cappadocia,
Nevşehir

123
İbrahim Zaman,
Bodrum, Muğla

124
Yusuf Tuvi,
İstanbul

125
Nevzat Çakır,
Galata, İstanbul

126
Nevzat Çakır,
Edirnekapı, İstanbul

127
Şakir Eczacıbaşı,
Erzurum

128-129
Ara Güler,
Levent, İstanbul

130
Nusret Nurdan Eren,
Avcılar Cappadocia,
Nevşehir

131
Yusuf Tuvi,
İskilip, Çorum

132
İzzet Keribar,
Harran, Şanlıurfa

133
Nevzat Çakır,
Fener, Balat,
İstanbul

134
Ara Güler,
İkitelli, İstanbul

135
Ara Güler,
Manyas, Balıkesir

136
İsa Çelik,
İznik, Bursa

137
Nusret Nurdan Eren,
Şavşat, Artvin

138
İbrahim Zaman,
Fethiye, Muğla

139
Ahmet Kuzik,
Bodrum, Muğla

140
Nusret Nurdan Eren,
Ürgüp Cappadocia,
Nevşehir

141
Nusret Nurdan Eren,
Ürgüp Cappadocia,
Nevşehir

142-143
Nusret Nurdan Eren,
Ürgüp Cappadocia,
Nevşehir

144
Nusret Nurdan Eren,
Ürgüp Cappadocia,
Nevşehir

145
Nusret Nurdan Eren,
Ürgüp Cappadocia,
Nevşehir

146
Selim Güneş,
Edirne

147
Engin Kaban,
Cumalıkızık, Bursa

148
Selim Güneş,
Yedikule, İstanbul

149
İzzet Keribar,
Kütahya

150
İbrahim Ayşıl,
Çürüksulu Yalısı
Çürüksulu's Yalı,
Salacak, İstanbul

151
İzzet Keribar,
Tophane, Bursa

152-153
İbrahim Zaman,
Bolvadin, Afyon

154
A. Halim Kulaksız,
Safranbolu, Karabük

155
İzzet Keribar,
Afyon

156
Şakir Eczacıbaşı,
İznik, Bursa

157
Şakir Eczacıbaşı,
Kasımpaşa, İstanbul

158
Nevzat Çakır,
Kula, Manisa

159
İzzet Keribar
Kula, Manisa

160
Şakir Eczacıbaşı,
Safranbolu, Karabük

161
Şemsi Güner,
Cumalıkızık, Bursa

162-163
Şakir Eczacıbaşı,
Kütahya

164
Şakir Eczacıbaşı,
Bebek, İstanbul

165
Yusuf Tuvi,
Bodrum, Muğla

166
İzzet Keribar,
Memiş Ağa Konağı
Memiş Ağa Residence,
Sürmene, Trabzon

167
Nevzat Çakır,
Edip Efendi Yalısı
Edip Efendi's Yalı,
Kandilli, İstanbul

168
Şakir Eczacıbaşı,
Vecihi Paşa Yalısı
Vecihi Paşa's Yalı,
Kandilli, İstanbul

169
Sina Coşkun,
Taşkale, Karaman

170
Sıtkı Fırat,
Kütahya

171
Nevzat Çakır,
Göreme Cappadocia,
Nevşehir

172
İzzet Keribar,
Afyon

173
Şemsi Güner,
Ankara

174-175
Şakir Eczacıbaşı,
Kasımpaşa, İstanbul

176
Ara Güler,
Bursa

177
Nevzat Çakır,
Balat, İstanbul

178
İbrahim Zaman,
Kalkan, Antalya

179
Nusret Nurdan Eren,
Ürgüp Cappadocia,
Nevşehir

180
Nevzat Çakır,
Manisa

181
Nevzat Çakır,
Heybeliada, İstanbul

182
Şakir Eczacıbaşı,
Bursa

183
Mehmet Aslan Güven,
Trabzon

184
Turgay Kaytancı,
Beypazarı, Ankara

185
İzzet Keribar,
Kastamonu

186-187
İzzet Keribar,
Afyon

188
Tufan Kartal,
Birgi, Ödemiş,
İzmir

189
Tufan Kartal,
Safranbolu, Karabük

190
İzzet Keribar,
Afyon

191
Ara Güler,
Kumkapı, İstanbul

192
İzzet Keribar,
Azaryan Köşkü
Azaryan Residence,
Sadberk Hanım Müzesi
Sadberk Hanım Museum,
Büyükdere, İstanbul

193
Şakir Eczacıbaşı,
Karşıyaka, İzmir

194
Yusuf Tuvi,
Kula, Manisa

195
Murat Sav,
Sultanahmet, İstanbul

196
Şemsi Güner,
Sinop

197
İbrahim Zaman,
Çamlıhemşin, Rize

198-199
Sıtkı Fırat,
Kemaliye, Erzincan

200
İbrahim Zaman,
Safranbolu, Karabük

201
İbrahim Zaman,
Gümüşhane

202
Nusret Nurdan Eren,
Aksaray

203
Engin Ertan,
Küçükbakkalköy,
İstanbul

204
İbrahim Zaman,
Ayvalık, Balıkesir

205
Nusret Nurdan Eren,
Gerede, Bolu

206
Şakir Eczacıbaşı,
Bostancıbaşı Yalısı
Bostancıbaşı's Yalı,
Çengelköy, İstanbul

207
Ahmet Kuzik,
Köprülü Yalısı
Köprülü's Yalı,
Anadoluhisarı, İstanbul

208
İsa Çelik,
İshak Paşa Camisi
İshak Paşa Mosque,
Doğubeyazıt, Ağrı

209
Tufan Kartal,
Alanya Kalesi
Alanya Castle,
Alanya, Antalya

210
Aykut İnce,
Küre, Kastamonu

211
Şakir Eczacıbaşı,
Bebek, İstanbul

212-213
Nevzat Çakır,
Büyükçekmece, İstanbul

214
Cengiz Akduman,
Zigana, Trabzon

215
Şakir Eczacıbaşı,
Haznedaroğlu Konağı
Haznedaroğlu Residence,
Bolaman, Ordu

216
Engin Kaban,
Harran, Şanlıurfa

217
A. Halim Kulaksız,
Uçhisar Cappadocia,
Nevşehir

218
Nevzat Çakır,
Muğla

219
Ahmet Kuzik,
İstanbul

220-221
A. Halim Kulaksız,
Amasya